ThigymAw
WIL SAM

barddoniaeth boced-din

rhigymau
WIL SAM

WIL SAM

Argraffiad cyntaf: Tachwedd 2005

ⓗ   *Wil Sam*

Cedwir pob hawl.
Ni chaniateir atgynhyrchu unrhyw ran
o'r cyhoeddiad hwn, na'i gadw mewn
cyfundrefn adferadwy, na'i drosglwyddo
mewn unrhyw ddull na thrwy unrhyw
gyfrwng, electronig, electrostatig, tâp magnetig,
mecanyddol, ffotogopïo, recordio
nac fel arall, heb ganiatâd ymlaen llaw
gan y cyhoeddwyr,
Carreg Gwalch Cyf., Llwyndyrys.

Rhif Llyfr Safonol Rhyngwladol:
1-84527-017-7

Cyhoeddwyd gan
Carreg Gwalch Cyf,
Ysgubor Plas, Llwyndyrys, Pwllheli,
Gwynedd LL53 6NG.
llyfrau@carreg-gwalch.co.uk
lle ar y we: www.carreg-gwalch.co.uk

Teitlau eraill yn y gyfres:
limrigau PRYSOR
stompiadau POD
penillion HUW ERITH
englynion DAN BWYSAU

I'r Prifardd Twm Morys
a'i ddosbarth hynaws
y mae i mi ddiolch am fy neffro
o 'nhrymgwsg
i roi y bwndel bach hwn
ar ddu a gwyn.
Pleser pur fu ymladd â'r tasgau
o wythnos i wythnos.

Cynnwys

Absenoldeb o'r dosbarth

Rhyw betha o'r Groeslon tu yma i G'narfon
Yn fy nhynnu i yno am noson, y cnafon.
Cymint gwell gin i na photio'n Mhenionyn
Fasa' bod acw'n y festri'n sŵn pennill ac englyn.
Mi fetia bod Wil wrthi'n darllan rŵan hyn
A throi tudalenna ei ddeunydd mae Wyn.
Gareth sy'n trafod ei gywydd gora
A'i wraig wrth ei ochor yn rhannu'i chyfrola.
Newydd orffan mae Anna
A hwylio i ddechra mae Lora.
Anwen bob amsar sydd ddifyr gynddeiriog
Yn ei chwaral drysora o ardal Ffestiniog.
A bron na chlywa i Stan yn sôn
Am glasur Ifan, y garddwr o Fôn.
Mae'r ferch na wn i mo'i henw hyd yn hyn
Yn eich swyno chi gyd yng ngwaith Eifion Wyn.
I fyd yr adroddwr yr awn ni bob tro
Efo Gareth y Nant, ddihafal ei go'.
Un smala ei sylw ydi Mair Ty'n Ddôl
A Morris bob amsar mor sydyn ei sgrôl.
Pob copa sy'n ysu reit siŵr erbyn hyn
Am gael rhannu athrylith bur Gwyneth Glyn.

Maddeuant os anghofis i un neu ddau
Gyda lwc mi sobraf o hyn i nos Iau.
Fel Eben gynt, mi dwi'n llethol o drwm
Tria ditha fadda'r wylofain 'ma Twm.
Caf ddiolch yn ffurfiol i ti yn y Llan
Wrth fwrdd y Plu mewn dracht o Jac Dan.
Chitha ddosbarth hynaws, diolch i chi gyd
Am fy niodda i yn rhygnu a rhygnu cyhyd.
Mwy byth o ddiolch am fy nhynnu i fyd llên
Yn y t'wyniad iawn cyn i mi fynd yn rhy hen.

Damwain

Wrth forio efo 'Nhad mewn drycin fawr
Mi ollyngodd Mam ei gwallt i lawr.

Bu'n caru heb falio 'run botwm corn
Y nos honno o Awst yng nghyffiniau Cêp Horn.

Gorffwylltra Mam a rhagluniaeth Duw
Ar y cyd sy'n cyfri mod i yma'n fyw.

(Mi agorais lygad am y tro cyntaf ar
28 Mai, 1920)

Nain

Mae nain yn syllu yn hir i'r tân
A'i dwylo ymhleth ar ei ffedog lân.

Ni wêl y gwahaniaeth rhwng dydd a nos
Na Robin y Gwfryn a Wil Ty'n Rhos.

Ond gŵyr i'r dim pa ffordd i nghael i
At Fynydd y Cennin, ei hardal hi.

Salm Lamp Beic 1890

Moelia dy glust. Lamp beisicl ydwyf a'm
teulu yn hen ddihenydd.
Joseff, taid fy hendaid innau ddaeth â golau
i'n byd digarbeid a didrydan ni. Lamp
gannwyll wêr greodd efe, cannwyll bot, eithr
nid jampot.
Nage, nage, lampot o biwter gwydn sy'n
cuddio dan y nicel gwynnaf.
Llygad taflu goleuni bychan at faint twll tin
cath bach sydd i'w hwyneplat hi.
Ni honnir llafnau llachar ond dysg hanes bod y
fechan hon – sydd â chroen ei dannedd o
fewn cyfraith bentref yn rhybudd egwan i ŵr
troed a cherbyd bod llewod yn dynesu.
Ie, pe digwydd i ti daro ar gyffelyb lusern ar
stondin neu mewn seiat, cythra.
Ti weli y ddeuair Joseff Lucas yn sgythredig
yn ei metel. Pryn hon. Dy wobr fydd fawr a'th
daith fydd ddethau.
Ie, meddaf drachefn, Joseff Lucas a'i dylwyth,
clod i'w enw a bydded ei folawd yn un hir
ei hoedl.

Efe, Joseff, a'th geidw rhag pob ffos. Po
dduaf y nos a pho gulaf dy lwybr bydded
i ti reidio'n rhydd o dan leuad Lucas.

Dau lanw
(neu cathl i gofio f'ewyrth Huw,
dreuliodd oes ar draeth yn rhygnu byw)

'R hen ewyrth fydda'n sôn byth beunydd
Am ddau lanw mawr thyrti sefn
Aeth yn syth drwy ffrynt ei fwthyn
A rhuthro allan drwy'r cefn.

Mi sgubodd y cathod o'r golwg
A'i ddwy esgid Sul bob yn ail
Gan adael carpad y parlwr
A'r matia yn un doman dail.

Roedd gynno fonta gwch erstalwm
A phan fydda'r môr yn symol call
Mi âi 'allan' medda fo i ddal mecryll
A'u rhannu nhw rhwng hwn a'r llall.

Hen longwr gwangalon, dwi'n meddwl
Oedd onta, os gwir y si
A ofnai Dafydd Jôs a'i lanw
Yn union run fath â fi.

* A sailor half hearted, I think so
Was him too if true the sea
Afraid of Dafydd Jôs and his torrents
Exactly the same as me.

* (cyfieithiad C. Wesley, 1707-1788)

Pren

Ydi, mae hi wedi dwad i'r pen
A minna heb sglodyn o gerdd i'r pren.
Ond mi fydd.
Wedi i mi gael pwl hir o ffidlan
Mi wthiaf fy meddylia i gyd drwy hidlan,
Ac mi sgwennaf gerdd
Mewn gwinllan werdd
A phwy a ŵyr
Pan fydda i'n fan honno yn fudan fy hynt
Na chlywa i bren siaradus yn sgwrsio'n y gwynt?

Sawl Es?

Sawl es sydd mewn bod ar y ddaear lawr?
Miloedd ar filoedd meddai'r Geiriadur Mawr.
Mae dwy mewn Saeson, a niwsans run fath.
Un ysgafn mewn sgwarnog, ac eth mewn cath.
Un soniarus ym Mhantycelyn, nid y lle ond y dyn.
Dim un yn Eifionydd a elwir yn Llŷn.
Mae Llanfair Pwll a deud y gwir
Yn haeddu tair efo'i gynffon hir
Dim ond un es yn Osdrelia bendraw byd
A'r ddwy sydd yn Sardis yn cael llonydd o hyd.
Hen es y werin sy'n siwtio Stryd Moch
Ac un arall go debyg mewn sebon coch.
Dwy falch ffroen uchel mewn sebon sent
Dim un yn y tywod aeth o'r golwg i'r sment.
Dwy es ddu bitsh yn siwt y Sul
Ac un hir bengalad gan fastad mul.
Dwy bob tro yn nhrowsus y dyn
Ond y ferch, gryduras, yn gorfod gneud heb yr
un.
Rhai tawel sy'n sibrwd a sisial a sant
Ac esus ein swsian yn chwilboeth gan chwant.
Rhesal a dystar a dresal a drôr,

Un sosban yn berwi ac un arall mewn stôr.
Sawl es sydd mewn sosej a shibols a saws
Efo glasiad o sieri a sglisen o gaws?
Llawn cystal yw sesiwn o slochian cwrw
Efo chwip o fand pres yn cadw twrw.
Sawl es sy' ma bellach?
Oes yma saith mil?
Does gin i ddim syniad
Rydw i esys yn chwil.

Dail

Mae dail y coed yn Ystrad Fflur
Yn murmur yn yr awel,
A deuddeng Abad yn y gro
Yn huno yno'n dawel.

T.G.J.

Pwy feiddia lunio cerdd i ddail
Heb deimlo'n ail i hwnna?
Cuddio'r ffidil yn y to
A thewi am dro wnawn ninna'.

O ail feddwl canu wnawn
A hynny'n llawn arddeliad,
Mae gan bob gwreng a bonedd hawl
I gymell mawl i'r cread.

Diolch awdur llun a lliw
Am wisgo criw y coedydd
Cael dotio at dy baent cyhyd
Sy'n mynd â bryd y prydydd.

Malwod

Dwy falwan o China
Ydi Mali a Modlan
Sy'n byw yn y gerddi
A bod yn yr ydlan.
Dwad yma ddaru nhw
Yn sownd wrth ryw long
Alwodd heibio llynadd
Ar ei ffordd o Hong Kong.
Ma' nhw yng ngerddi pawb
Yn creu hafog ddiawledig
A hynny nad waetha
Y Cenhedloedd Unedig.

Erbyn hyn mae Mali a Modlan a mwy
Wedi herio pob garddwr sy'n byw yn y plwy.
A phapur bro'r Ffynnon yn cymall dwy fil
Am syniad gan rywun all ddifa yr hil.
Mae'n argyfyngus, does dim dwy waith
Cyrch nas gwelsom ers amser maith.
Dim letisan na moran ar fwrdd y gegin
Difrodwyd y cyfan gan fyddin o gregin.
'Saethu nhw baswn i,' medda ffarmwr o Lŷn.
Ond ble cawn ni getris i saethu bob un?

'Llosgwch y giwed,' ebe'r gŵr o'r Sowth.
'Yn gwmws fel gwnes i yn y "foot an mouth".'
'Gosod trapia ydi'r ciwar,' medda'r hannar call,
'Byta bob un ma' nhw'n Ffrainc,' medda'r llall.
Un arall yn awgrymu boddi fel boddi cath
Ac yn deud, nad ydi boddi malwod ddim ond run fath.
Cyngor y chwarelwr oedd ffiwsan a phowdwr du
Syniad da, 'bai bod gerddi pawb am y parad â'r tŷ.

Ond beth am gynnig lliniarus Rhodri Morgan
Eu hypnoteiddio nhw i gyd mewn miwsig hand organ?
A dyma ddywed Blêr a'i chydig gyfeillion
'Fedran ni feddwl am ddim ond 'mass destruction'.
Harri Bach o Gricieth ddaru ddatrys y trwbwl
Trwy ddifa pob gardd a choncritio'r cwbwl.
A fo gaiff y ddwyfil bob ddima goch
– help at brynu'r cwt sinc sy'n Abarsoch.

Llawer

Gormod o ddim nid yw dda
A bychan o ddim ond o bechod.
O gwed i mi ŵr o bywer
Faint o gyfri ydyw llawer.
Cawn i wybod hynny gen ti
Canwn bill amgenach iti.

Wele hi yn goffi crystyn
Arna i'n ymladd efo'r testun,
Codi gyda'r wawr ddoe ddwaetha
A chael fy nhrechu nad fy ngwaetha.

Llawer, Llawer, dywed wnei di
Am un gair sydd yn dy odli
Bûm yn cribo'r iaith yn gryno
Gan fethu cael run ebwch yno.

Troi i 'drôr mân betha' i chwalu
A darllan pynna' o wamalu,
Cario 'mlaen yn hir i jwlffa
Gan ddisgwyl cael goleuni o rwla.

Penderfynu erbyn hynny
Nad oedd fy awen i yn ffynnu
Pasio felly nad oedd bosib
Llunio cerdd i bwnc amhosib.

Llyffant

Llyffant melyn teg ei lun
Yw f'unig lyffant i fy hun,
Mae'n byw mewn pwll ym mhen draw'r ardd
Ei enw ef yw Eben Fardd.
Galwaf yno bron bob dydd
I holi am gerdd, un gaeth neu rydd,
Gofynnais iddo am bill i'r llyffant
Ond gwrthod wnaeth 'rhen ddiawl yn bendant
Trwy gicio traed ac ysgwyd pen
A chlepian rhes o ddannadd pren
Gan sgrechian fel bai'r byd ar ben
'Nid peiriant prydydd mo'na i.'

Er i minna bellach ddarllan myrdd
O gerddi llyffant coch a gwyrdd,
Teimlaf braidd mai dim ond ffyliad
Fedar ganu i bennabyliad
Rhoi fy ffidil yn y to
A chau fy ngheg wna i am dro.

Map

A minna'n fy ngwely wedi torri fy nghlun
Mi drawis ar drysor i ddiddori fy hun.
Map ordnans oedd hwnnw yn cynnwys Cwmstradllyn
Blaen Pennant, Y Waen a Thyddyn Madyn.
Yn y gornel ucha' yn solet mae'r Garnedd Goch
Sy'n gwarchod ei theyrnas hyd at Fwlch y Moch.
Ydyn, mae'r hen enwau yma i gyd
Yn eu dillad gwaith cyn newid dim byd.
Erw Suran gaiff y wobr am yr hylla'n y fro
Pant Ifan drws nesa, 'sgwn i pwy ydoedd o?
Garnedd hir yr hen lancia ar grib Allt y Pwll,
Y ddau am y gora'n eich holi chi'n dwll.
'Dach chi'n cofio y Crosville yn nogio ar riw Garreg
                                                      Frech
A Megan benfelen yn byw ym Maes Llech?
Rob Huws Ynys Pandy a Champ Pwll yr Onnen?
Mi clywach o'n adrodd o ben bryn Meillionen.
Siŵr iawn, Braich y Bib, lle'r oedd y bugail ciwt
Yn denu dynion o dwnnel* efo'i dipyn ffliwt.
Gyda godra Moel Hebog a Simdde'r Foel
Mae Ogof Glyndŵr yn ôl yr hen goel.

Ydi, mae'r ordnans yn berllan o enwau,
Pant y Gog, Y Rhos a'r hen Glenennau.
Cefn Peraidd, Clogwyn y Gath a Chae Glanrafon,
Braich y Saint, Dolwgan a'r ddau Lwyn Mafon.
Ond 'rhoswn.
Mae'r goron yn mynd i'r un ar y ffin
Am enwi ei gartref yn Glogwyn y Gwin.

** Twnnel tan ddaear o waith dewin oedd hwn. Un â'i geg yn y
Graig Ddu, Morfa Bychan, a'i drwyn yn codi yng nghae Braich y
Bib, Cwmystradllyn – medda nhw, ac Alltud Eifion.*

Ar Nos Galan

Ffolineb llwyr ydi aros yn tŷ,
Codi pinas pia hi a galw'n y Plu.
Rydan ni'n eitha siŵr yno o daro ar rywun
Na welwn ni mo'no fo yng nghwrs y flwyddyn.
Blaen Pennant ydi nacw efo llygad llon
Yn mwynhau'i lasiad cynta mewn blwyddyn gron.
Ar ôl y trydydd mae o'n mynd i'w bwrs
Ac yn eich gwadd chi a minna i rannu sgwrs.
Drychwch arno fo mewn difri, hen gr'adur clên
Yn mwynhau newydd-deb na fydd byth yn hen.
Pa ots, neno'r tad, os ydi o'n tueddu i ferwi?
Mae'r hen gyfaill allan yn unswydd i feddwi.
Ar doriad gwawr mae'n mynd adra'n drwm
O straeon sydd newydd i bawb yn y Cwm,
Gan gymryd sbel yn Nolbenmaen i ailflasu'r hwyl
Oedd yn nhŷ potas y Plu ar noson yr ŵyl.
Da bo'ch chi Hen Gwm, blwyddyn newydd dda
A chofia alw eto o hyn i'r ha'.

Hyrddod a defaid

Hen hyrddod calad
Rhai gwyllt a ffôl
Ddaeth echdoe o'r mynydd
I lawr i'r ddôl.

Gan frefu'n ddi-ddiwadd
Ddydd a nos.
Does neb yn cael cysgu
Yn y Llan na'r Rhos.

Mi glywis y stori
(Un wir medda nhw)
Fod rhein wedi'u magu
Ar laeth cangarŵ.

Mi gwelis nhw neithiwr
Â'm llygad fy hun
Yn neidio y gatia'
A'r cloddia' bob un.

Rhuthrant trwy'r gerddi
Bob un am y gwyllta'
Gan godi y tatws
A chladdu y bloda.

Gin i gryn gydymdeimlad
Â Mair Ty'n Ddôl
Does ganddi hi na rhosyn
Na phlansyn ar ôl.

A Morris, os gweli di ddafad
Un hyll ac un gre'
Carchara'r hen gythral
Yn y fan a'r lle.

Fferis

Paid â phrynu sothach
Fyddai cyngor Mam
Wrth roi ceiniog yn fy llaw
I'w gwario yn Siop Sam.

Minceg, losin, neu dda-da
Cymered pawb ei ddewis.
Roedd pentre'r Llan os cofiai'n iawn
Yn llawn o siopau fferis.

Yn nymbyr sics o res Maen Wern
'Rhen Ann oedd yn masnachu
Ei lwci bags a'i licis bôl
Mewn cydau llinyn crychu.

Codwn wib i lawr y lôn
A phasio siop Talafon
Gan droi i mewn i Ben y Bont
Sydd dipyn uwch ei safon.

John Tomos dew yw perchen hon
Un llon a'i fochau'n gochion,
'Red Seal' a 'Rose' sydd ganddo fo,
A diodydd pop yn drochion.

Tro nesa yn Highgate bydd ein stop
Yn siop hen Lloyd y Cobler,
Mae Elin Jôs, wraig radlon gron
Yn enwog am ei thobler.

Yn nhai Caellwyd mae Jên a'r ferch
Yn gwerthu diod swigod
Y Vantas goch a theisen gri
Am chydig iawn o g'nogod.

Mae'r siopau bellach wedi mynd
A Chymry glew i'w canlyn
Yn eu lle daeth Saeson hy
Gan ddwyn pob tŷ a murddun.

Ond ddaw dim da o ebarganu
Am siop a thŷ sydd yn diflannu,
Amgenach plan o sbel na hynny
Yw codi pres a mentro'u prynu.

*('Vantas' oedd enw'r diod coch oedd i'w gael
yn siop Jên Jones: ceiniog am lond potel
ffisig.)*

Gorwel

Sawl gorwel sy'n bod?
Ugeiniau mae'n siŵr,
Weithiau'n yr awyr
Ac weithiau'n y dŵr.

'Dyw gorwel pawb ddim yr un fan
Ambell un yn y môr a'r llall ar y lan.
Pan ddaw niwl y bore i fygu bob llun
Mi dyngaf bryd hynny mod i heb yr un.
Ond daw'r haul yn ei dro i ddangos yn glir
Y palis bob lliw sy'n ymestyn mor hir.
Mi gawn ninnau wedyn ddotio o'r tŷ
At ddiwedd y stori yng Nghoed Tyddyn Du.
Terfyn hen hen o winllan a gwrych
I ni yn Nhyddyn Gwyn mae'n orwel gwych.

Ŵy cadw nyth

Wrth feddwl am wya
Mi gofiaf byth
Am yr hen sentri:
Yr ŵy cadw nyth.
Yn ôl fy nain
Roedd o'n bwysig ofnadwy
I helpu'r iâr gofio ymhle roedd hi'n dodwy.
A chwara teg i'r hen wreigan
Synnwn i chwadan
Nad oedd o'n help i'r lleill
Beidio dodwy allan.
Er, mi welis iâr ori
Mewn carrag fedd gist
Nad waetha Jôs Person
A Iesu Grist.
Yn atgyfodi'n ei hamser
Efo hatsiad swel
O gywion bywiog
Rhai melyn del.
Ond yr hen ŵy cadw nyth sy'n glynu'n y co'
Er mai un tegan digon di-lun ydoedd o.

Cawod

(yn nhafodiaith Rhoslan!)

Roedd John ers tro'n cymyd yn i ben
I snwyro'r gwynt o'r Afon-wen,
Mi wydda'r hen wraig mai'r 'hynt' mynd am dro
Oedd wedi gafal yno fo.

Na, neith hi ddim bwrw hiddiw Sionyn
Yn eno trw gymorth gras,
Cŵad d'olygon droedfadd ne ddwy
Drycha da chdi ar yr awyr las.

Ydi ma'r awyr yn eitha
Ond choelia i monat ti Jên,
Gwranda nei di mewn difri
Mor agos ydi sŵn y trên.

Sionyn besdad i ti mor wirion
Yn rhoi sylw i bob hen goel?
Mi chwerthith pawb am dy ben di
Yn cario ambarél a chôt oel.

Wedi hir ddadla a thrafod
Siôn a'r trên oedd yn iawn,
Diolch roedd o i'r Hen Gambrian
Dan gawod law trana'n y pnawn.

Pawb â'i bethau

Ni ddotiais erioed at lwyni grug
Na garglo byddarol rygarûg.

Ni welais y bwthyn gwyngalchog yn dlws
Na'r rhosod cochion sy'n gylch dros ei ddrws.

Ond caf innau weithia' damad i gnoi
Wrth rigio injan a'i chlywed hi'n troi.

Mwg taro

Mwg yn y siambar
A mwg yn y garat
Mwg mygu gwenyn
A mwg achub ffurat.

O bob mwg sydd yn ein byd
Y ffolaf un yw'r Taro.
Pan aeth dy dad i brocio'r tân
Mi frathodd hwn ei war o.

Dro arall, drannoeth peintio'r wal
Daeth hwn o'r grât yn gawod
Gan adael dysglau gleision Nain
Yn ddotiau du a chrachod.

Co Bach

Pwy oedd y Co Bach yn 'Ynys yr Hud'
A holai griw'r Sioned ar draws ac ar hyd,
Tybed nad cofi o'r Felin oedd o
A fynnai gael gwybod am hynt Callaô?

Roedd Twm Pen y Ceunant yn ormod o wág
I rannu cyfrinacha'i garbad bag.
'Chwilio am well tywydd, Co Bach,' medda fo
'A chael hyd i hwnnw ar draeth Callaô.'

Troi wnaeth Co Bach at Roli brawd Twm
A chael gwybod y cyfan yn blaen ac yn blwm,
'Y merched tywyll awyddus, yn siŵr, yr hen Go
Ddaru ddenu Twm ni i draeth Callaô.'

Y Co bach gredai stori y storom wynt fawr
A chwythodd yr hwyliau a'r mastiau i lawr,
Ond araf oedd gwragedd llongwyr y fro
I goelio sut boddodd llwyth aur Callaô.

Mae'r Co Bach os ydi o'n fyw yn hen ddihenydd
A'i go' erbyn hyn mor niwlog â'i 'mennydd.
Ond difyr er hynny fyddai'i glywed o'n sôn
Am dynged y Sioned dros beint yng Ngardd Fôn.

Cam ceiliog
(hen bennill newydd)

Cofia ddiogyn nad yw Chwilog
Fawr iawn pellach na cham ceiliog,
Hel dy bac a phaid â chwyno
Hwb cam a naid na fyddi yno.

Guto Gyfrwys gwas Graeannog
Dorrodd record Rasus Clynnog
Trichant crwn o gamau ceiliog
Gymrodd hwn o'r drws i 'Dweiliog.

Post Tyddyn Gwyn

Heidio i Gricieth
Mae pobol ffordd hyn.
A minna'n bodloni
Ar Bost Tyddyn Gwyn.
Diolch i'r Drefn
Mae byw mor hawdd
Efo pensal a phapur
A thwll yn y clawdd.
Hen flwch bach coch, diolch i ti
Am ddyfal gadw ein cyfrinacha' ni.

A gwrando.
Canu dy glodydd mae Meirion a Môn
Am actio mynegbost yng ngheg y lôn.
Ken Gelli Lydan, bencampwr olwynion
A chlec y Diwcati yn codi'r meirwon.
Neu Ddafydd Llanarchmedd a'i Driumph glas
Efo peipan egsôst sydd yn canu bas.
Mae'r ddau am y gora yn cymryd y llw
Dy fod ti yn llawer gwell na map iddyn nhw.

Mwg cochi

Mae mwg cochi pysgod, greda i
Yn fwg go ddiarth i'n cenhedlaeth ni.

Mae grât yn y Felin
Led cors o'r fan hyn*
Yng nghae y Bercin
Yr ochor yma i'r llyn
Lle byddai potsiars erstalwm
Yn hel, y cnafon
I gochi samon yn syth o'r afon.
Y mwg collen yn troelli
Yn ara deg
I gyfeiliant dadlau
Ac ambell reg.

Mi gwelaf nhw rŵan
A'u hwynebau hyll
Yn gwenu'n wirion
Trwy fwg y cyll.
Yn ôl John Ty'n Morfa
A thad Tom Puw
Dyma'r orau o ddigon
O roddion Duw!

* *Festri capel Moreia, Llanystumdwy yw 'fan hyn' ac yma y cynhelir y Dosbarth bob nos Iau.*

Ewyn blaen lli

Mi wn beth yw ewyn
A gwn beth yw lli
Ond nis gwn i ystyr
Y ddau aeth yn dri.

Ewyn blaen lli
Ewyn blaen lli,
Mae'r drindod fach ryfedd
Yn ddryswch i mi.

Ai irad gwyn ydyw
At hogi lli draws?
Neu sain iro'i dannedd
Wna'r llifio yn haws?

'Naci,' medd Edgar*,
'Y smotiau gwyn mawr
Sydd ar wyneb yr afon
Cyn i'r llif ddod i lawr.'

** Edgar yw y diweddar Edgar
Owen, cyn-gipar a'r mwynaf o
ddynion.*

Hen bennill newydd

Ym mhen draw Llŷn a minnau'n cicio
Moto beic sy'n gwrthod tanio
Hiraethu wnaf am Eifion dirion
A beic sy'n tanio ar ei union.

I dair a gododd bac dros dro

Dowch yn ôl y drindod lawen
Olwen hoff a Sian ac Awen,
Galaru rydw i byth a beunydd
Am sgwrs a phaned ddeg Tŷ Newydd.
Gan aros weithia i fwytho llyfra'
Mewn llyfrgell liwgar cyn mynd adra.
Dowch yn ôl ar fyrder.
Damia,
Hwn yw cartra'r Academia.

Ras gŵn

I hogyn disyniad o bentra'r Llan
Roedd mynd i ras gŵn fel trip Eila Man.

Ras gŵn y Pasg ym Metws-y-coed
Oedd y gynta un i mi gweld erioed.
Welis i ddim arlliw o rasio drwy gydol y p'nawn,
A deud y gwir ro'n i'n siomedig iawn.

Oedd, roedd 'no esgus o filgi, un gwirion
Yn crwydro'n glustfyddar ar goesa' hirion,
A dyn gwallgo yn gweiddi 'ger rownd a sa draw'
Drwy gorn siarad gloyw llawn mwy na llond llaw.

Na wir, go brin gwelwyd sioe mor ddychryn o wael
Ras am y cynta' at bolyn o'n i'n ddisgwyl gael,
– Dwsin neu ddau o gŵn ysgafn eu traed
Yn symud fel melltan nes cynhyrfu 'ngwaed.

Mi fentris ofyn i Sgotyn efo sbanial ar lîd
Pam fod y cŵn mor gyndyn o godi sbîd.
A'r atab ges i, 'rwyt ti as twpsi as merlan,
Does isio dim byd ond cael Carlo tw corlan.'

Petawn inna wedi codi mhen yn y gât wrth basio
Mi faswn wedi gweld mai Treialon oedd yno nid Rasio
Go brin gwela i ras arall o hyn i ddydd barn
Os na thara i ar Gareth a ras fawr y Sarn.

Jôs y Mellt a'r Mwg a'r Moto

'Mi ganaf yn y mellt
Maddeuodd Duw fy mai' – Ehedydd Iâl

Mae gin i straeon gwir
A straeon clwyddog, rai
Annwyl Olygydd, stori sy' gin i
Am ddyn o Lŷn ddaeth i'n hymyl ni
Mae hanas campia hwn yn bla ffor' hyn
Ond llawn cystal ca'l nhw i lawr ar ddu a gwyn
Un o'r rhai mwya a'r rhyfedda yn ôl Jôs
Ydi'r un dal melltan fawr mewn potal sôs
Potal wydr fach sgwâr medda fo wrtha i
At faint potal Dadi's neu botal HP
A chryn dipyn o gamp yn ôl yr hen tsiap
Oedd cael y felltan i aros o dan y sgriw cap.
Ar y dresal ma hi rŵan yn ei photal froc
Yn gwenu arnon ni gyd rhwng y beibl a'r cloc.

Roedd Cêt wedi crefu ar bob Ffredi a Ffaro
I ddod draw i Dy'n Llidiart i drechu'r mwg taro.
A mi ddôth 'no gryn ddwsin o'r Port ac o'r Traws
I llnau ffliwia rhen Gêt tasa hi damad haws.
Mi dynnwyd grât allan a'i roi'n ôl drachefn
A Chêt yn llawn huddug yn deud y drefn.

Mi dalodd rhen garpan arian pur fawr
Am fwg nad âi fyny a fynnai ddwad lawr
Ond Jôs y dyn melltan glywodd am Cêt
A fo a'i fag arfau aeth yno yn sdrêt.
Pum munud fuo fo yno, ar 'i wir, medda fo
(A mae o'n deud gwir reit siŵr am y tro).
Sôn am dynfa sy' 'no rŵan ar ôl yr hen Jôs
Mae Cêt yn ca'l darllan yn simdda bob nos.
Na, chlywodd neb byw am grefftwr o'r fath
A welodd Cêt Ifas, gryduras, mo'r gath.

Stori arall gan Jôs oedd y moto beic coch
Fuo'n segur drwy'r rhyfel yng nghwt y moch.
Cwt tywyll bitsh fel ogof ddu
Yn nhop yr ardd ymhell o'r tŷ.
A phan ddôth Jôs adra o'r awyr ryw ddiwedd Medi,
Mi biciodd i weld o efo lamp 'ever ready'.
Un gic rôth o i'r hen feic ond bod hi'n gic rydd
Na ffrwdrodd o drw'r drws i ola dydd.
Welodd o mono fo wedyn na neb arall chwaith
A dyna ddiwadd y Triumph a diwadd y daith.

Y mesur byr

Pedair troedfedd a modfedd
Oedd Robat Jôs,
Y mwyaf pigog ac atgas
O drigolion y Rhos.

Be fyddi di lad
Ar ôl mynd yn fawr?
Oedd cwestiwn y corrach
I Ifan Tŷ Lawr.

Gyda lwc, medda Ifan
Doctor fydda i,
A phlisman yng Nghricieth
Reit siŵr fyddwch chi.

Twll y mwg

Mae Mam yn dweud wrth Mari
Pan fydd hi'n hogan ddrwg
Fod dyn hel plant i'r ysgol
Yn byw yn nhwll y mwg.

Dyn hyll â dannedd melyn
Rhai miniog fel rhai cawr
A mwgwd dros un llygad
Yn cario cawell mawr.

Mae'n cerdded gyda'r cloddiau
Yn slei bob gyda'r nos,
A phan ddaw rhywun heibio
Mae'n cuddio yn y ffos.

Os mai hogan fydd 'no
A honno'n hogan ddrwg
Mae'n mynd â hi'n y cawell
Bob cam i dwll y mwg.

Ymddiheuriad i Santes Dwynwen

Dwi'n ymddiheuro, ydw ydw,
A hynny yn y llwch a'r lludw
Am dy alw'n ffasiwn gnawas
Heb hidio hedyn yn dy hanas.

Ddoe, chwedlonol dybiwn i
Oedd pob peth o'th gwmpas di,
Ond cefais wybod ganol pnawn
Dy fod o gig a gwaed go iawn.

Santes sanctaidd ferch y twyni
Wnei di geisio madda' i mi?
'Bûm edifar fil o weithia'
Am lefaru gormod geiria.'
Diolch i ti eilun addfwyn
Am ddod â ias yn ôl i Landdwyn.

Barrug

'Pa le mae dy gap di
Guto Tŷ Gwyn
Ar fore mor oer
A'r barrug yn wyn?'

Mae nghap i'n llyfrïa'
Yng nghwt y ci.
Does 'na fawr o Gymraeg
Rhwng Pero a fi.

'Wel, pryna gap newydd,
Wir, Guto Tŷ Gwyn,
Nid da bod yn bennoeth
Ar farrug fel hyn.'

Mi brynaf un fory
Gan roi pris go lew
Am gap fydd yn gynnes
Ar farrug a rhew.

Ar gap fel un Wil*
Ma fy llygad ers tro,
Ond go chydig o'r rheini
Sydd ar gael, medda fo.

** William Hefin o Bwllheli yw Wil,
ac yn aelod selog o'r Dosbarth.*

Gwilym Plas
(ar achlysur derbyn medal T.H.P.-W. 2005)

Gwilym Plas, yr 'ever ready'
A'i gymwynasau yn ddirifedi.
Athrylith ifanc a sobor o glên
Gobeithio'r Tad nad aiff o byth yn hen
Ydi, mae o'n haeddu'r fedal a mwy
Mi ddeudwn i bod o'n deilwng o ddwy.

Sian Northey
(Bryn Hir, 28.1.05)

'Naddo, dio'm 'di heneiddio
Tric ydi rhifa bob tro.'
Dyna'r cwpled da gynddeiriog
Gefais i gan ferch o Stiniog.
Sgêrsli gwir amdana i
Ond gwir bob gair amdani hi.

Yn Aberdaron

(30.1.04)

Mi glywis i gyfrola'
Gan Gwyn fy ŵyr dwy lath,
Ond deudwch chi a fynnoch
D'yw clywed ddim 'run fath.

Cheis i ddim nabod Huw ac Elen
Nes i mi fynd yn hen.
Sut gebyst gwnes i fethu
Taro ar ddau mor glên?

Ond Twm agorodd 'ddrysa'
Rhai tlysa fu erioed
I mi gael cwmni Elen
A dathlu'r deugian oed.

Yn Angladd Dic Dal

Mae'r lleuad yn effeithio ar ambell un.
Mi fyddai'n ama' weithia 'mod i'n cael y profiad fy hun.

Dic Dal fyddai'n honni byth beunydd
Iddo fo bicio i'r lleuad o ben mynydd.
Mi aeth i fyny'n braf mewn tri chwartar awr
A mi fasa'n dal yn fyw 'bai iddo fo ddŵad lawr.

Mi claddwyd o'n barchus am ddau y pnawn
A'r pen galarwr oedd Rhys Lleuad Llawn,
Roedd o'n pwyso'n y deyrnged gan Lwydiaid y Lloer
Fod ei galon o'n gynnes ond bod ei draed o'n oer.

Unwaith mewn oes y mae lleuad llawn
Yn dŵad i olwg pobol, medda fo, yn pnawn,
A go brin basa fo'n cyboli dŵad hiddiw chwaith
Ond o barch i Dic a diwadd y daith.

Y dasg

O ddyddiau ysgol hyd yn awr
Prif elyn dyn fu tasgau.
O b'le mewn difri daeth y rhain
I boeni cenedlaethau?

Tasker Jones o Ddyserth, Clwyd
Yw awdur hyn o drwbwl
Sy'n dweud ar iechyd cant a mil
A'u llethu'n gyfan gwbwl.

Hwn a'i frawd Bontuchel ddaeth
Dan gochl 'addysg bellach'
I osod tasg sydd dda i ddim
Ar 'sgwyddau rhai sydd gallach.

Gwyddom am sawl llipryn llwyd
Fu'n llowcio'i fwyd, rhy sydyn
Er mwyn cael tyrchu am oriau maith
Mewn sgroliau sychion wedyn.

Allan yn yr awyr iach
Mae lle pob plentyn ysgol
Ac nid bod oriau yn y tŷ
Yn craffu trwy ei sbectol.

*(Dau Tasker unig sydd ar ein planed ni yn ôl y llyfr
teliffôn. Roedd yna un arall yn byw ym Mhwllheli ers
talwm, ond tynnu dannedd oedd hobi hwnnw, a
glynu'n dynn i'w faes ei hun. Gelwid ef weithiau gydag
anwyldeb – ond yn amlach o lawer yn fygythiol – 'Yr
hen Dasgar'. Cysyllter â Wyn Hirwaen am fwy o hanes
y dihiryn.)*

Beddargraff i Mary Whitehouse

Meri wen wiwlan sydd dan y llechan
Treuliodd hon oes heb na rhegi na rhechan.

Molawd i'r Morus a Sioned a Twm

Pill ar ran dy ddosbarth cymysg
O'r caeth a'r rhydd sydd yn ein mysg,
Clywsom oll newyddion enbyd
Dy fod bellach yn ddyn cerbyd.
Na, na, nid dychryn a wnân ni
Ond uno i'th longyfarch di
Llongyfarchion fil
Ar brynu Morus Mil.
Y cerbyd gora' ar y lôn
O goetsiws Trefan i Sir Fôn
Car bach sy'n bictiwr fel dy Sioned
Yn gwenu arnat dan ei foned
Moto clyfar a dirodras
A phob teclyn ynddo i bwrpas.
Batri, pwyntiau, carburetor
Y drindod hon a'r trafficetor
Y blwch tair gêr unigryw hwnnw
A'r echal ôl sydd mor ddidwrw
Car y deugain milltir crwn
Haf a gaeaf ydi hwn.

Mae o yn sicir fel ei hil
A thebol iawn am ddau can mil
Moto gwydn bery'n hir
Am ddeugant arall ar fy ngwir.
Os gyrri'n bwyllog a di-gnoc
Cei siwrnai hapus rownd y cloc.
Ydi, mae'r Morus yn Forus anfarwol
'Ni fydd ei enw ef yn ôl ond Morus anghydmarol.'
Chwythwn y pibau, curwn y drwm
Hip hip hwrê i'r Morus a Sioned a Twm.

I Twm ar ei fforteims ten

Twyis wana tŵ. Twyis tŵ a ffôr
Morfa Nefyn cau dy geg
Twm y bardd sy'n bedwar deg.
Mae pysgod mawr Pwll Berw
Ac adar bach y coed
Pob un yn synnu heddiw
Bod Twm yn ddeugian oed.
Oed, oed, bedi oed
I un mor ysgafn ar ei droed?
Gywyddwr ciwt y coetsiws
Mwynha dy hwyl a sbri
Mewn llwyth o winoedd cochion
Dyna'n dymuniad ni.

Am wsa ras

Erstalwm yn y Gwyndy
A Wiliam yno'n was
Doedd dim â'i plesiai cystal
Â'm herio i redag ras.
Roedd o bryd hynny sbelan
Yn hŷn na chanol oed
A finna'n hogyn deunaw
Pur chwimwth ar fy nhroed.

Cychwyn wrth yr efail
Fyddai'i hanas hi
Chwibaniad fer gan Wiliam
Ac yna ffwrdd â ni
Wiliam Jôs fel ewig
A chythral yn ei draed
Y fo bob tro yn gynta
Wrth adwy Maes y Gwaed.

rhigymau wil sam

Yna'n ôl i rannu'r blawd
Yn sŵn cwpledi fyrdd 'rhen frawd
'Off wi go thrw ddy snô
I fwydo'r iâr, Tomi Ffâr!' – W.J.
Mae Wil Belle Vue yn sbio'n gas
Am i fod o'n colli ras.
Does dim yn well gefn trymedd nos
Na chofio ffwlbri Wiliam Jôs.

I Moira Mai yn ddeugain oed

Coinsyidnes pur a dwbwl snap
Yn ôl y map mae Moira
A minna Wil yn cael ein blwydd
O fewn ychydig oria.

Dychmygwch braint a brofais i
Pan fynnodd Moira imi
A fyddwn i'n ystyried bod
Daid bedydd bythol iddi.

Fy nghalon gymrodd lam o'i lle
Gan guro dwbwl fforti
O fewn câs cadw'r henwr llwyd
Sydd sbel tu clyta i eti.

Diolch byth am egwyl hud
O'r byd i ddifrifoli,
Does dim o'i le yn ôl y Drefn
I hen ac ifanc ffoli.

Pob hen geirch aeth gyda'r gwynt
Doedd dim ond addo amdani
Taid ffyddlon fyddaf weddill f'oes
I Dduwies fwyn Brysgyni.

Mae gin i jwg bach yn fan hyn
O ffwrn Tregaron ddaeth o
Cymar o i'w roi ar silff
I ti a Mei y mae o.

Y Beudy Bach, Brysgyni
22 Mai, '04

Molawd i'r Rîyl Êl, neu Elwyn y cymwynaswr

(i Elwyn Efans, awdur Fflamau Jamaica, *ar ben ei flwydd yn 50, 9 Ionawr, '04)*

Mi gwelis o gynta mewn moto 'van'
Yn y cab yn cysgu yn ardal Rhos-lan.
Rhois fy nhrwyn ar y gwydr
Trwyn bedachi'n neud
A mi gorodd un llygad,
Llygad peidiwch â deud.
Pydru mlaen ddaru mi gan obeithio y cawn
Dorri gair ryw ddiwrnod â chysgadur y pnawn
Yn wir i chi, caredig fu ffawd,
Cyn pen yr wythnos cefais siarad â'r brawd.
Chwerthin wnaeth o gynta, chwerthiniad mawr mawr
Fu bron â chwalu fy mwthyn i'r llawr.
Pan fentrais ofyn sut roedd o, a'm calon yn drom
Mi waeddodd dros bobman 'Fel bom, Fel bom'.
Roedd o'n cario sach llian a'i lond o'n llawn
O bowltiau gloywon, rhai buddiol iawn.
Roedd 'no bowltia byrion i drwsio ceir,
A swp o rai hirion at godi cwt ieir
Nid 'u dangos nhw roedd o, ond rhoi nhw'n bresant i mi,

Gan eu taro nhw ar bwrdd a
deud 'Dyma chi'.
Mae 'na rwbath fel'na yn Elwyn
Y ffeindia'n fyw.
Mae o'n halan y ddaear.
Ydi, wir Dduw.

Fedar o fod yn ddim arall,
Efo Ann mae o'n byw.

Pwrs y nos

Yn fy ngwely bron bob nos
Mi fyddaf yn breuddwydio
Am wialen hud ryw ddewin hen
A phwrs nad yw yn gwagio.

Mi âf ar gwmwl gwyn fy nghwsg
I wlad sy'n llawn o dlodion
A'i phlant yn llwgu wrth y dydd
Am nad oes yno foddion.

Cytuno wnaf yn ôl y drefn
Â'r pwrs sy'n gwrthod agor,
Ac yn ddibryder af ymlaen
Heb 'styried gronyn rhagor.

Gwelaf seintiau'n plygu glin
Mewn capel llawn defosiwn,
A phlant fy molia' gweigion i
Yn marw mesul miliwn.

O na fyddai mreuddwyd i
Y bore'n gelwydd gola',
A'r bolia' bychan yn gytûn
Bob un yn cael ei wala.

Goleuo

Penbleth fu'r geni gwyrthiol i mi 'rioed
Er pan ddaru mi ama' yn ddeunaw oed.
Mae'r miloedd yn mynnu mai Duw yw tad Iesu
Groesawyd i feudy a'i wrthod mewn gwesty,
Ond prin bod Duw wedi rhoi'i fab ei hun
I'w eni'n y preseb mewn man mor ddi-lun.
Peth arall, all ysbryd ddim cenhedlu plant
Nad waetha' hen stori pob swltan a sant.
Taeru wnaeth Mathew mai Joseff gŵr Mair
Yw perchen y bychan yn y gwely gwair.
Petai ods am hynny, rydw i'n reit ulw ddig
Bod ein crefydd wedi'i seilio ar chwedl mor big.
Mae'n haws gin i gredu mai mab llwyn a pherth
Yw'r Iesu Grist hwnnw sy'n Iesu o werth.
Boed o yn llinach llwyth Joseff neu'r Tad Talarŵ.
Mi gefnoga i'r hen hogyn, g'naf ar fy llw.
Eled y lliaws yn llawen i'r ddwyfol ddawns
Mi af inna' am lasiad a chymryd fy siawns.

Annwyd

Mae person plwy Llanrhuddlad
Yn un wyth wyth deg ac un
Yn honni y bu farw
O'r Sadwrn tan ddydd Llun
A phan ddaeth o ddechrau'r wythnos
Yn ôl i dir y byw,
Roedd bod un glust yn dlotach
Yn dwedyd ar ei glyw.
Bu ef yn glaf o'r annwyd
Ffyrnicaf welodd Môn
Ac ef ddioddefodd fwyaf
O bawb yn ôl y sôn.
Mewn llythyr prudd at Eban
Yng Nghlynnog dros y dŵr
Mae'n mynnu na fu undyn
Mor wael ag ef, yn siŵr.
Os gwir yw stori'r Ffeiriad
Fu rioed 'run clwy o'r fath.
Mae'n 'mosod ar y mochyn
Cyn dechrau ar y gath.

Hen glwy sy'n llond Ficerdy
A phrysur lenwi'r ardd
Yn trechu'r tŷ a'r teulu
Heb sôn am awen bardd
Yn wir mae'n gwneud i brydydd
Daeru efo'i Dduw
Fod cael marwolaeth sydyn
Yn well na llusgo byw.

Diafol

(cerdd rodres)

. . . rhywle yng nghrombil y cread crwn
cyn geni hanes, cyn bod mynci
na danadl poethion.
yno y cyrcydwn ar fachwalbant y greadigaeth
fel ceiliog bronfraith wedi colli brwydr
moelni fy nghnawd yn cynnal fy ngorblu
fy sbardun i mi'n bicell
cocldwyais ar riniog y bore cyntaf
a maeddu meysydd moesoldeb ddwywaith
cyn bod da mewn dyn
na drwg mewn dynes
dyfeisiais ddrygioni
o' mhig a' mhastwn i fy hun
drygioni yw tad daioni
nid da lle byddo drwg
myfi yw tad y ddau a'r ddwy
dau bleser a dwy duedd
menter yn troi yn rhyfyg
ym muddai gnoc cywreinrwydd
y cywreinrwydd a laddodd y gath
fu i mi yn grëwr, tynnais f'ewinedd o'm blew
mwythais fy macsia yn groes i'r graen

a poer â'm creodd i creodd chwithau
ffals bellach bob edifeirwch.

LLAIS Dda'n tydi? Dydw i'n dallt dim

DIAFOL Byd o bleser yw'r bywyd hwn
Byd heb boen a byd heb bwn
Rhoddais i chwi fy nghân
Y gân ddi-gosb a'r gân ddi-wobr.

Gweddi amheuwr

(8 Chwefror, 2001)

Ein Tad yr hwn wyt, diolch i ti
Am beidio ateb fy ngweddi i.
Goleua beth ar fy neall dwl
Neu tro'n glustfyddar i mi am bwl.

Diolch am Mair a Joseff gynt
Am Iesu Grist a'i hanes a'i hynt.
Ni hoffaf y groes, ni welaf Dduw
Ond diolch i rywun am batrwm byw.
Diolchwn bawb am gig a gwaed
Am ein synhwyrau a'n dwylo a'n traed.
Diolch am efengyl bara a chaws
Diolch am bopeth wna'n byw yn haws.

Iesu, Iesu, wyt ti'n ddigon?
Wyt ti'n cofio'r India i gyd?
P'le mae'r trysorau sy'n dy enw?
P'le mae'r miloedd sydd yn fud?
Go brin bod bai ar ddyn na Duw
Am fabi'n farw a'i fam yn fyw.
Tyrd archeolegydd ceisia di
Ddatrys peth o'i gofid hi.

(Yn nyddiau daeargryn fawr yn India)

Glaw

Dyn:
Helô, Helô, naw naw naw,
Galwad brys, mae angen glaw.
Clyw Hollalluog, mae'r ddaear yn crimpio
A Parri'r pen garddwr yn mulo a myllio,
Mae'r ffa wedi ffaelu
Pys gleision yn pylu
A'r tatws bob tysan ar sdreic.
     O, tyrd â glaw.

'Dduw mawr y rhyfeddodau maith'
Gwna dy ddaear sech yn llaith
Hwn yw'r argyfwng mwya gaed
A'r pridd yn rhostio bodia'n traed.
     O, tyrd â glaw.

Hawdd iawn i Ti sy'n byw uwchben
Pob seston ddŵr mewn nefoedd wen
Fydd agor fflodiart dirion Dad
I ni'r sychedig gael dyfrhad.
     O, tyrd â glaw.

Duw:
Helôi, Helôi, Helôi,
Myfi sydd yma'n dychwelyd yr alwad
Atoch chi blant cymysg o ddoethion a ffyliad
Does gynnoch chi 'run iod i gwyno am natur eich tywydd
A minna bob munud â'm trwyn yn eich trywydd.
Mae'ch tadau a'ch teidiau wedi canmol cyhyd
Yr haul sydd ar amser a'r glaw sy'n ei bryd.
P'run bynnag, triwch gofio mewn tŷ potas a Llan
Na fedra inna chwaith mo'i dal hi 'mhob man.
Ystyriwch, bendith tad i chi, ystyriwch bob un
Sawl mil o atebion sy'n eich cyrraedd chi'ch hun.

Amheuaeth

'Dwi'n ama' braidd a allaf
Lunio pwt i hwn
Wrth nesu at yr erchwyn
A sgwennu'n mynd yn bwn.

Teg i'r gwan ei gredo
Yw gofyn oes 'na Dduw,
Gan aros i ddyfalu
B'le mae o'n bod a byw.

Nain sy'n honni beunydd
Mai yn ei nefoedd wen
Mae cartre'r Duw Goruchaf
Mewn gwlad goruwch y nen.

Aeth hithau yno'n hwyliog
Yng nghwmni plant y ffydd,
A minna i lawr yn fan'ma
Yn fwy amheus bob dydd.

Pa un sydd ar ei ennill?
Nain a'i chriw a ŵyr,
Mae'r tipyn anghredadun
Yn dal mewn dryswch llwyr.

Gwenoliaid

Yma ma' nhw'n heidia
Mewn pentra a Llan
Yn gneud ati, medda nhw
I helpu'r gwan.
Gwenoliaid y Bondo
Ydi'r rhain bob un
Yn bla erbyn hyn
Yn Eifionydd a Llŷn
Bob tro'n dewis nythu
Yn y lle prydfertha',
'Chwara teg,' medda ninna
'Ma nhw'n talu am 'u petha'.
O'r cynta o Ebrill
Dros fisoedd yr ha'
A hynny bob blwyddyn
Y daw y Pla.
Ninna'n dandwn nhw
Yn ôl arfar plant da.
O Wolverhampton draw
A Birmingham bell
Ma' nhw'n heidio yma
I neud ein byd ni'n well!

Tewch, mae adar gwaeth
Na gwennol y Bondo,
Y rhai sy'n nythu yma
O'u henaint i'w hamdo.
Hen hil 'strywgar Siôn Ben Tarw
Sydd yma i fyw ac yma i farw.
Hobi y rhain ydi prynu'n cartrefi
A hawlio'n tir ni fesul aceri.
Cyn cyrraedd y fynwant
Ma nhw'n morol am ddeud
Wrth eu plant a'u hwyrion
Pa sut y mae gneud.
Peidied neb â meddwl
Bod y cyfan ar ben.
Mae'n rhy fuan o lawer
I ni weiddi Amen.

Y mewnlifiad

Tarwch i'r dafarn
Trowch i'r Llan
Mae'r diawlad yno,
Ma' nhw ym mhob man.
Yn ninas Bangor
Neu Nant y Moch
Y NHW sydd yno
Yn ucha'u cloch.
Boed drafod hawl llwybr
Neu droad y rhod!
Un Sais ben rwdan
Sy'n cael deud sut ma'i fod.
A ninna'n barod
Bob amsar â'n gwên,
Mae'n hanas mor ynfyd
Ag ydi o o hen.
'Run ffunud â'r lleng
Yn Llanfair y Llin,
Mae'r pla wedi cyrraedd
A'n gwarth yn eu gwin.
Daw'r hen yma i farw
A'r ifanc i fyw,
Pa un sydd berycla?

Win i ddim, wir Dduw.
Cyfaill yw cyfaill
A gelyn yw gelyn
Mae'r galw am 'felyn'
Yn fwy nag erioed.

Dim

Crwban llesg wrth y glöyn chwim
'Ddo i ddim am ras, na ddo i ddim.'

Poced yn wag yn mynd i'r ffair
Diofal yw dim, yn ôl yr hen air.

Malchus ddi-glust yn gwrando'r gân
Bartimeus ddall mewn byd ar wahân.

Hen drempyn digeiniog yn g'leuo am bop.
Miliwnydd ddoe a'r hwch aeth drwy'r siop.

Ffarmwr bodlon a'i fuches yn sglein
Llwch yn diflannu yfory fydd rhein.

Dau leidr o boptu yn sownd ar y groes
A'r tri yn ysu am gymryd y goes.

Miliwnydd, trempyn, a ffarmwr ffôl,
Pwyswyd y botwm, does neb ar ôl.

Cowlaid fach a'i gwasgu'n dynn

Yng ngenau'r sach mae cynilo bob tro,
Meddai ffarmwr cefnog wrth y prentis go'.
Mi gofiodd hwnnw, a mi brynodd fegin
Gan ddiodda heb efail nes hel ei gregin.
Cowlaid fach a'i gwasgu'n dynn
Sydd gyngor buddiol i'r sawl â'i mynn.

Gormod o ddim nid yw dda
A bychan o ddim ond o bechod,
Dyma fu cyngor yr hen erioed
I lanciau ifanc sy'n dŵad i'w hoed.
Cowlaid fach a'i gwasgu'n dynn
Yw cyngor ein teidiau i'r sawl a'i mynn.

Cowlaid fach a'i gwasgu'n dynn
Tybed hefyd y dyddiau hyn?
Dwy ryfel a dau ryfelgi'n rhygnu'r gân
Sydd yn troi ein byd yn belen dân,
Beidio nad marw yn slei fydd raid
I osgoi y diwedd o ludw a llaid?

barddoniaeth boced-din

Cowlaid ddiwerth o suntur a sgim
Mewn rhith o fyd na fydd dda i ddim
Cawn gysgu'n sownd mewn gwagle didrwbwl
Mae'r Ianci a'r Sais wedi difa'r cwbwl.
'Cut the comic' mae'r cyfan ar ben
A neb yma i falio ble'r aeth yr Amen.

Dwgyd deryn

Ring a ring a'r 'ospreys'
Mae'r byd yn mynd yn rasbris
Oes rywun 'blaw Saeson yng ngwledydd cred
Sy'n mynnu gwneud popeth yn 'British Made'?
Does gweryl yn byd ynglŷn â berfa neu feic
Sydd â'u cartra tu arall i Glawdd Offa Dyke.
Y cnafon bachog yn modrwyo'r gwalch bychan
Cyn iddo fo brin anadlu na dysgu rhechan
Rhoi modrwy gorn, un 'red, white and blue'
Am goes y cyw bach, dyna'i petha nhw.

Dydd a ddaw mi fydd hwn yn frodor
Wedi ei eni a'i fagu yng nghysgod pont Croesor
Be ddeuda Bob Owen pe tasa fo fyw
Yn clywed hen Saesneg dros big y cyw?
'Os cest ti dy eni yng Nghroesor, Cymro w't ti fod
A Chymry nid Saeson pia pob clod
Pan fyddi'n hel nythod yn Affrica bell
Morol ganu am Gymru, y wlad sydd well.'

Bwgan brân

Brân dyddyn fud
Heb ddim ar y gweill
Ond marw ar bolyn
A dychryn y lleill.
Brân ddu bitsh
Yn wyn ei byd,
Heb unrhyw swydd
Ond bod yn fwgan i'r fflyd.

Bwgan go ryfedd
Yn siŵr i chi
Mae'r teulu i gyd
Wedi ei nabod hi.
A phictiwr pryfoclyd
Yn yr ŷd a gaed
O'r frân ar ben polyn
A'r lleill wrth ei thraed.

Hwnnw oedd o

Dacw Mam yn dŵad
Yng ngwely nymbyr thrï
Gesiwch be ddoth allan,
Ia wir, y fi.

Gwylltiodd Tada'n gacwn
Aeth at ei dwrna i Lŷn,
Ond siwrna seithug oedd hi
Hwnnw oedd y Dyn.

Pe bawn i

Pe bawn i yn hogyn deunaw oed
Mi awn ati o ddifri i ddringo coed.
Nid coed cwsberis na choed fala, chwaith
Ond coed sy'n mesur milltiroedd maith.
Os ydach chi'n ama, dowch efo mi'n fflyd
I chi gael gweld pa mor fawr ydi lot o ddim byd.

Sbectol

Mae 'na siopwr yng Nghaernarfon
Yn nhop Stryd Llyn y dre
Sy'n byw ar werthu sbectols
Rhai drudion lond y lle.

Ylwch nacw fel dau hannar lleuad
Mewn ffrâm o aur Periw,
Rhaid talu ffortiwn am honna
Er mai hi ydi'r lleia'n y criw.

A dacw'r beth hyll 'na sy'n swancio'
Yn ei gwydra' fel dwy ffenast siop
Efo dau driming deryn yn clwydo
O boptu'r ffrâm las ar y top.

Un hen ffasiwn ddi-lorpia ydi nacw
Mae'r siopwr wedi cael cŵyn
Fod honna'n pinsio'r cwsmeriaid
Wrth agor a chau am y trwyn.

Mi ofynnis i hen fachgan wrth f'ochor
Ydach chi'n meddwl fod pobol yn gall
Yn dwad i fan'ma i wario'u harian?
'Wn i ddim,' medda fo, 'mi dwi'n ddall.'

Ceiliog cam

Cocl dwdl dandi
Yr iâr yn dodwy candi,
A'r ceiliog coch yng nghwt y moch
Yn tynnu cynffon pigi.

Mae person plwy Ffestiniog
Yn frawd i Wali Wiliog
Sy'n byw a bod yn llys y dre'
Yn achub cam y ceiliog.

Cyhuddwyd o, y truan
O dreisio cyw dylluan
A hynny'n jarff am hannar nos
Yn nhwyllwch coed Boduan.

Mi daliwyd o yn dalog
Er iddo wadu'n selog,
Mae erbyn hyn dan glo mewn cell
Cyn cau ohono'i falog.

Anfonwch bwt o lythyr
Er cysur i'r hen gr'adur,
Mae derbyn cerdyn wysg ei din
Fel gwin i bob pechadur.

Cân

Mae gin i ddau anifail
A cheffyl ydi'r ddau.

Byrdwn:

> Ond bedi bwys am hynny?
> Mae un ac un yn ddau.

Mae gin i ddau gi defaid
Ci defaid ydi'r ddau.

Byrdwn:

> Ond bedi bwys am hynny?
> Mae un ac un yn ddau.

Roedd gan fy 'Nhad ddau lewpard
Yn rhuo yn y gell
Clo y glwyd agorodd
Mae 'Nhad mewn gwlad sydd well.

Byrdwn:

> Ond bedi bwys am hynny?
> Mae tri heb un yn ddau.

*(Y byrdwn bellach i'w ganu hyd at syrffed fel
a ganlyn:)*

> Ond bedi bwys am hynny?
> Mae tri heb un yn ddau,
> Mae tri heb un yn ddau,
> Ond bedi bwys am hynny?
> Mae tri heb un yn ddau.

Ma' nhw'n dwedyd ac yn sôn

Ma' nhw'n dwedyd ac yn sôn
Mod i'n gybydd yn y bôn,
Minna'n rhannu rhwng y cnafon
O Dudweiliog i Dregaron.

Ma' nhw'n dwedyd ac yn sôn
Bod pawb yn 'medru' yn Sir Fôn.
Ond beth am Ifans, fardd y Borth
Fedar sbelio dim ond torth?

Ma' nhw'n dwedyd ac yn sôn
Mod i beunydd ar y lôn
Minnau sydd yn treulio nyddiau
Yn y tŷ yn hel meddyliau.

Ma' nhw'n dwedyd ac yn sôn
Bod Taid yn frawd i Al Capôn.
Bobol bach am gelwydd gola'
Roedd drygau hwnnw yn drybola.

Ma' nhw'n dwedyd ac yn sôn
Bod pawb yn medru canu tôn.
Ond da y gwn am un hen hogyn
Na lwyddodd rioed i daro nodyn.

Ma' nhw'n dwedyd ac yn sôn
Nad oes un canwr fel Bryn Fôn
Dwedaf innau ar ei ben
'O Bant Glas i'r Afon-wen'.

Crafu byw neu cwyn pensiynwr

Bellach aeth yn dîn y glêr
Dros wyneb daear lydan.
A phawb o dan unbennaeth Blair
Yn crafu i lunio'r wadan.

Heddiw treblodd pris y dorth
A'r llaeth aeth i'r entrychion.
Lle gynt caech chi a finna'r ddau
A mwy am chydig gochion

Ddoe fe âi hen wraig i'r siop
I geisio'i hangenrheidiau
Gan roi ceiniog o'r naill du
I brynu clap i'w ffrindiau.

Heddiw rhaid bodloni i'r drefn
Pluo pawb yw'r ffasiwn,
Y llanc â'i drwyn ar ffenast siop
A'r hen yn gwasgu'i bensiwn.

Y taid ar fainc yn bwrw'r draul
Gan ofni prynu glasiad.
'Dos hen ŵr, mae gin ti hawl,
I'r diawl â gneud arbediad.'

Gwalch y pysgod

1851

Wele'r prin aderyn
Ddaeth o'r uchel fry
At bont y Croesor bentref
I godi esmwyth dŷ.
Daw y pell genhedloedd
Yn enfawr dyrfa hy'
Pob un â'i sbienddrych lygaid
Ar drwchus gôt ei blu.
Ei fach gywion sydd anferthol fawr
Medd uchel floeddio mintai'r llawr.
Ai mawr ryfeddod hynny'n awr
A thad y plant yn gymaint cawr?

2005

Ydi'r gwalch yn llawn ei lathan
Yn dewis nythu ym mhlwy Llanfrothan?
'Ydw'r diawl, mi rydw i'n falch
O gael bod yma,' medda'r gwalch.
Ond cofia hyn, cawn fynd ar chwap
I unrhyw wlad sydd ar y map.
Os na wnei ditha gau dy geg
I Baris af yn union deg
Myfi a'r cywion dros y dŵr
Gan nythu'n gynnes yn y tŵr.
Mi gaf barch gan bawb yn fanno
Felly, twll dy dimpan Pharo.

Cette sauce de premier choix

Mae'r Geiriadur Mawr
yn mynnu dweud saws
er bod sôs yn nes atom
a'i sbelio fo'n haws.

Ein potel HP
mae hi'n botel o dras
yn ei sgwyddau sgwâr
a'i choch a'i glas.
Mae'r Tŷ Cyffredin
ar ei hwyneb hi
wedi ei beintio gan artist
anghyffredin ei fri.

Mae hon ar ein bwrdd
boed aea' neu ha'
yn ein hatgoffa ni beunydd
o'i 'phremier choix'.
I ble'r aeth yr hen Ffrangeg,
meddech chi,
oedd lawer hyfrytach
na'r Saeneg i ni?

Mae hi yma at ein galwad
bob bore a nawn
yn bishyn o botel
efo stori go iawn,
a'i dau lygad glas
tu ôl i'r HP
yn sibrwd yn rogus
'Tyrd, profa fi'.

I frecwast y bore
a swper y nos
HP debyg iawn
ydi pob potel sôs.
Sôs ar y frechdan
a sôs ar y cig,
a sôs ar bysgodyn
petai'n mynd yn big.
Dowch allan i'r amlwg
o'r Llan ac o'r Rhos
i ganu am rinweddau
ein HP sôs.

*(Diolch i Mrs Kathleen Parry am
sgleinio fy Ffrangeg.)*

Gelyn
*(Cyflwynedig i Ioan Roberts, aelod tanbaid o
CDN, Cymdeithas Difa Nionod)*

Fy ngelyn pennaf i erioed
Fu pob un math o nionyn
Boed hwnnw'n globyn glandeg coch
Neu sbrigyn bach o slotsyn.

Bydd rhai'n ei fwyta'n amrwd oer
Yn syth oddi ar y rhaffan,
Mae meddwl am ryfygu o'r fath
Yn peri i mi gael ffatan.

Fe'i daliais unwaith mewn torth frith
Un mân yn smalio swildod,
Dro arall profais bwdin plwm
Yn blasu'n drwm o nionod.

Y pechod gwaetha o bob un
Oedd profi printan fenyn,
A'r ogla arno fel ei flas
Yr un mor gas â nionyn.

Ond os daw'r Llydawr bochgoch tlws
I guro'r drws eleni,
Fi fydd yno'n gynta un
Yn prynu rhaffan Shoni.

Ar y silff

Ma pobol mewn oed i gyd run fath
Yn rhaffu c'lwydda wrth y llath,
Deud straeon cas am hwn a'r llall
Yn amlach na pheidio am bobol gall.
Meiddio deud bod modryb Sian, Maes y Blawd
Ar y silff ers pedair blynedd, rhen dlawd.
Hynny, meddan nhw, am ei bod hi'n hen ferch
Yn byw ei hun efo'r gath yn y Berch.
Mi alwis i heibio hi ben bora Llun
I gael gweld y gwir efo'm llygad fy hun.
Dau gi tegan oedd ar y silff ben tân
A chwyrnu'n ei chadar roedd Modryb Sian.
Mi wyddwn i er nad ydw i ond cwta chwech oed
Na steddodd Modryb Sian ar silff erioed.

Newid byd

Mae nghariad i'n feinys,
Ei chwaer hi yn plys,
A'i mam hi'n uffernol
Am godi hen ffys.

Blodau drain gwynion
Sy'n gwenu'n y llwyn,
A Mari a finna
Yn noeth lymun grwyn.

Ar amal i noson
Wedi i ni mollwng yn llwyr,
'Rhen sarffas sy'n llefain
'Dowch o'na, mae'n hwyr.'

Pan oeddan ni ar ddannadd
Ein penllanw'n y Rhyd
Hyhi a ddaeth yno
I chwalu ein byd.

Ta waeth, erbyn hyn
Darfu pob ffys,
Fi ydi'r meinys
A Mari ydi'r plys.

Lloeren lawn a lleuad lloerig

Stephen Jê sy'n taenu'r si
Mai hogan yw ein lleuad ni.
Codwch ddewin gwr y ceuad
I ni gael gweld pa ryw yw lleuad.
Mae hwn yn dal mai hi yw o
A'r llall yn mynnu dweud mai fo.
Pwyllwn bobol, hidiwn mono
Mi rannwn ni rhwng hwnnw a honno,
Boed loeren lawn neu leuad lloerig
Rhys Llwyd sydd yno'n bledu cerrig
At blant y llawr a'r drol a mul
Sy'n cario pricia ar ddy' Sul.

Cariad Rhys yw'r Lili Ledi
Ddaw i'r golwg bob mis Medi,
Dan lewych hon cawn ddringo'r Wyddfa
A gwylio hen blant bach yn chwara
Yng nghwmni lladron traed i sana.
Y lleuad newydd ydi'r lleia
Er bod o'n cyrra'dd at Osdrelia.
Heno, hwn yw'r unig un
Sy'n g'leuo'r byd ar ben 'i hun.
Gwir 'ta gau? Mae'n anodd deud.
Sut byth mae un yn medru gneud?

Pytiau

Ewyrth imi, brawd i 'Nhad
Oedd Eban Ynys Enlli,
Mi fasa yma rwan hyn
Onibai i'r hen gradur foddi.

Mae pedwar teiar newydd
O dan fy nghar ysblennydd,
Os caf un fory ar y sbâr
Mi âf i Lundain drennydd.

Ma gin i hwch a mochyn
Sy'n pesgi'n anghyffredin,
A buwch a budda' newydd sbon
Dowch draw am brintan fenyn.

Pan o'n i'n mochal cawod
Dan do tŷ gwair yr Hafod
Pwy ddaeth yno medda chi
Ond Ffani Ffowc fyr farclod.

Os daw hi acw heno
Caiff wledd sy'n werth ei chofio
Dwy ddysglad drom o datws rhost
A chwrw coch i'w treulio.

Mi godais bora hiddiw
A chlamp o ddolur gwddw
Cur yn fy mhen a chyfog gwag
Wir Dduw, dwi bron â marw.

Waeth i mi heb na phoeni
Am gyflwr Jên a Jini
O'u cymharu â chwymp y lleill
Doedd rheina ddim yn cyfri.

Dydd o'r blaen wrth fyned heibio

Dydd o'r blaen wrth fyned heibio
Tybiais wir mod i'n breuddwydio
Ger llidiart ffarm yn ymyl Ceidio
Gwelais ŵr a gwraig yn cwffio
Y gŵr yn gweiddi 'bocsia, bocsia',
A'r wraig yn dawnsio rownd mewn clocsia.
'Lladd yn gilydd dan ni am neud,'
Medda'r gŵr, 'ond paid a deud'.

Swig

Ystyriwn, bobol, mor ddi-urddas
Fyddai'n llên, 'nenwedig barddas
'Bai i Eban Fardd o Glynnog
Feddwi'n chwilbitsh yn Llandwrog.
Nicander wedyn, gyfaill glwth
Yfai'n ddall yng Nghamfa'r Bŵth.
Talhaiarn yn yr Harp a'r Crown
Besgai'n borchall ar Nyt Brown.
Neu Robat Hughes o Uwchlaw'r Ffynnon
Dreuliodd oes ar bort a lemon.
Doctor William Owen Pughe
Ar ddiod fain roedd o yn byw.
Creuddynfab flysig, dyna'r tsiap
Âi'n gynddeiriog ar stop tap,
Ei nwydau'n poethi yn y portar
Nes codi'r barmed ar y cowntar.
Yna Dafydd Ddu Eryri
Fynnai gwrw efo'i gyrri.
Thomas Edwards, ddyn y drol
Yfai'n ddyddiol lond ei fol,
Os gwir y stori, ar ei hyd
Y sgwennodd hwn Dri Chryfion Byd.
Yr hen sgweiar Elis Nanna

Rodiai'r nos yn nhraed 'i sana,
A'r claf Sion Wyn ni sgwenai 'line'
At ŵr y Plas heb ddau 'bort wine'.
Doedd ein Prifardd Robat Ap
Ddim mor amlwg ar y map,
Ond mynnai Dewi yn Mynachdy
Fod hwn yn potio yn y pisdy.
Lewis Morris, oes ynghynt
Yfodd fedd nes colli wynt.
Cofiwn ninnau deulu llawen
Mae o'r heidden daw yr awen.

Dwyn

Fe ddywed modryb Megan
Nad oes dim dwyn ar swejian
Cawn godi hon o unrhyw gae
'Does neb â feiddia brepian.

Am ddwgyd pwt o linin
O boced brawd y brenin
Mi yrrwyd Dei i dŵr y dref
A'i guro'n anghyffredin.

Mae Dewi'n dwyn ei geiniog
Gan gwyno yn gynddeiriog,
A Robat Ap yn mynnu dweud
Mai twyllo mae'r hen lwynog.

Mi glywais fod Anthropos
Yn piwsio Cawr y Cocos
Gan honni iddo ddal y Bardd
Mewn gardd yn dwyn tomatos.

Ann fach o Ddolwar Fechan
Sy'n hoff o sgwennu ar lechan
Ond 'Williams' ddaw i ddwyn ei sgrôl
Gan ddweud mai ef yw'r perchan.

Ffŵl

Ffôn yn canu yn yr oria' mân
Llais taer yn mynnu bod yr afon ar dân.
Rhuthro o ngwely yn nhraed fy sana
A tharo crys a thrôns amdana.
Sylweddoli'n sydyn yn Gors Dynana'
Na chlywis i rioed am ddŵr yn cynna'.
Cofio mai'r cynta' o Ebrill oedd hi,
A gwaeth na hynny mai'r Ffŵl oeddwn i.

Tôn y Botal
(darn adrodd i blant o dan
chwech neu o dan deimlad)

Tôn y Botal
Ydi enw tŷ Nain
Am bod Taid
Yn byw yn y ddiod fain.

Gwin tatws i ginio
Ac ysgaw i de.
Os na chaiff o'i ddropyn
Mae yno uffar o le.

Ond peidiwch â'i feio
Dyna welodd o 'rioed,
Gwin riwbob i frecwast
Yn bedair oed.

Dwy gacan

Ifan yn dal y plât i Twm
A Twm yn cymryd y fwya',
'Y cythral barus,' medda' Ifan yn flin,
'Mi faswn i wedi cymryd y leia.'

'A mi cest hi'n do,' medda Twm yn syth,
'Paid a chwyno am y peth lleia',
Fasa ti ddim wedi cael honno chwaith, rhen ddyn
Onibai i mi gymryd y fwya'.'

Gwin coch a Guinness

Mae pobol Ffrainc medda rywun
Yn yfad llwythi ar lwythi o win coch,
Y rhai hapusa'n mynd i gwlâu'n y pnawnia',
Ac yn chwyrnu cysgu fel moch.

Roedd Iesu Grist y capal
Yn llwyr ymwrthod bob tro,
'Dim perig yn byd,' medda'r Beibl,
'Troi dŵr yn win ddaru o.'
Aeth cymedroldeb i'r pedwar gwynt
Ddydd y briodas honno yng Nghana gynt.

A ninna'n rhydio'r gwaelodion
Yn teimlo bob munud yn awr
Potal goch yn y gwely pia hi
Ac yfad tan doriad gwawr.

Blas pob gwin coch sydd yn neithdar
Caniatáu'i fod o'n win o Bordeaux,
A fedra i lai nag enwi 'rhen 'Wyddal'
Rydw i'n hannar ei addoli o.

Plu

Un wennol ni wna wanwyn
Dwy bluen ni wna iâr
Tair pluen ni wna d'wysog
Na chapten maniarâr.

Pluen efo pwyntil
Oedd ffefryn Dewi Sant
Wrth sgwennu ei bregethau
Yng nghopi bwc y plant.

Ffisig gwyn plu'r gweunydd
O gorsydd Nant y Moch
Achubodd lawer truan
Fu'n diodda o'r dwymyn goch.

Roedd gan fy modryb Martha
Bluen osdrij wen
Yn sdicio i fyny lathan
O'r het oedd am ei phen.

Rhwymo plu pysgota
Oedd hobi Watcins crydd
Daeth o'n bencampwr Cymru
A Lloegar yn ei ddydd.

Mynnu matras bluog
Wnaeth gwraig o'r Garrag Lefn
Dyna pam y rowliodd
Ei chariad ar ei chefn.

Does gan Edwina Cyrri
Ddim pwt o ŵy yn tŷ
Bob tro mae'r Plumwth Rocyrs
Yn hwylio i fwrw'u plu.

A rŵan ymddiheuraf
Am feiddio bod mor hy'
Â rhodio cyrion daear
I chwilio am ddeunydd plu.

Plwy

Waeth i ni'r naill mwy na'r llall bellach
A ninnau'n mynd i oed;
Pa haws ydan ni â chrwydro dros ffiniau
At bobol nas gwelsom erioed?

Fan yma ers cenedlaethau
Mae'n tadau yn trio byw
Ddyddiau gwaith yn seiat y Bluen
A'r Sul yn addoli Duw.

Oes mae 'ma ambell i ymyrydd
Ac amal i 'staen a chraith'
Ond diolch am doreth ei bobol
Mae'r miwsig yn dal yn ei iaith.

Pawb a'i bethau

Ni ddotiais erioed at lwyni grug
Na garglo byddarol rygarûg.

Ni welais y bwthyn gwyngalchog yn dlws
Na'r rhosod cochion sy'n gylch dros ei ddrws.

Ond caf innau weithia' damad i gnoi
Wrth rigio injan a'i chlywed hi'n troi.

Blwyddyn arall

Doedd blwyddyn ddim yn cyfri ers talwm
Pan o'n i'n ddeg neu ddeuddag oed
Yng nghwmni Wmffra Bach a Sami
Yn tynnu ar wdbein yn coed*.

Doedd hi'n cyfri fawr fwy pan o'n i'n ddeugian
Wedi i mi briodi ben bora Llun
Un fengach na fi o wyth mlynadd
Ond mi aeth y wraig yn hŷn!

Erbyn hyn mae bob wythnos yn cyfri
A minna'n bedwar ugian a thair
Yn diolch am gael byw blwyddyn arall
I gofio amball ffrwgwd a ffair.

---

* *Coed Caban ydi'r coed*

Glangaea

Hen gena bach glan gaea
Yn erlid pawb i'w ffeua'
Gan godi ofn ar ddail y coed
A thlodi cnwd y caea'.

Daw'n dymor cadw'r potia
Gan wisgo cap a chotia
A hel y teulu at y tân
I slotian a hel acha.

Bydd felys hel atgofion
Am haf a'i hyfryd hinion.
Codwn galon un ac oll,
Daw Dolig heibio'n union.

Cae Garw, Gellïa, a llwynog mewn can

1942

Mwy o stori nag o bill
ond stori hir sy'n wir bob sill.
Maddeuwch imi am gymryd oria'
a churo cymint o dwmpatha
i ddeud mor gas gin i ydi hela

Mil naw pedwar dau
Deg o'r gloch y bora
Un braf ond oer.
Troi'r lori laeth yn ôl
yng Nghae Garw.
Bagio,
Troi 'mhen i fedru gweld
a chael gweld
Jên yn drws
yn ei du sabathol
bob dydd yn darllan pennod.
Mae'r Beibil ar 'i bwrdd
a'r efenygl ar 'i cho'.
Dwyt ti ddim yn y rhyfal?
Nagdw.

Does dim isio, ffwr bwt ac ar 'i ben.
Cyngor hen wraig, ella,
Wn i ddim.
Ma' hi 'mhell yn 'i thrugian
ond yn nes at ugian
yn 'i phwyll a'i phetha.
Eglwys Carnguwch a'r llwybr
a Thre'r Ceiri ydi'r rheini.
Meicalions hefyd er mwyn ei Thad Nefol
a thipyn o hwyl
Arglwydd mawr
Jên!

*   *   *

Gellïa rŵan
A Robin bwyllog
Yn llusgo dŵad.
Cario deg ar 'i dryc.
Ma hi'n oer Bob
Ydi uffernol hefyd,
Can llawn yldi.
Gwyn 'i lygad o'n wynnach hiddiw
Am 'i bod hi'n ddiwadd wythnos ar 'i farf o.
Chwara teg i Robin.

Mae o'n codi'r can gerfydd 'i glust
A'i roi ar 'i nyth yn y trwmbal.
Nid pawb sy'n gneud
Codi'r lebal efo'i hirfys
A'i siglo hi nes daw'r sgrifan i'r golwg.
Y deg galwyn at y bobol, yldi,
S'gin titha ddim sigarét decini?
Yr un diwn bob dydd.
Dyma chi, run fath â ddoe, ylwch,
Pleran.
Ydach chi ddim am danio?
Nag'dw. Mi cadwa i hi at de ddeg.
Robin dlawd,
Mae o'n werth i filoedd.

*　　*　　*

Uwchlaw'r ffynnon,
cartra Robin Goch esdalwm.
Robat Huws oedd 'i enw paent o.
Fedra fo ddim cynnig tynnu llun llaw,
Brenda Enlli run fath,
Fflop braidd ydi Plant Cristin.
Codi'r can fy hun yn fan'ma
Chwe galwyn gwastad

Mewn can caead sosar
Hen gena ar glaw,
Y dŵr yn hel rhwng crys a chroen
Wrth 'i godi odd ar stelin.
Dyna gri, cri un yn eiriol
Styrbio, braidd
Be gebyst?
Gwrando'n astud.
Cri babi newydd ei eni
a newydd ei adael.
Na, go brin bod babi yng nghae Robin Goch
Yn y bora bach.
Dyna gri eto, ddirdynnol tro yma.
Bronwan yng ngwar cwningan.
Dringo i ben y stelin i drio gweld,
A dychryn
Clompan o sgwarnog ganol oed
Yn ei hyd ar y gwellt.
Naci, llwynog,
Ei ddwy goes ôl o'n waed a llipa.
Mae o'n ymladd i symud efo'r ddwy flaen,
A methu.
Ma'i lygad o'n erfyn,
Y gri'n troi yn grio
A hwnnw'n mynd yn ubain.

Be sy' gin ti? medda gwddw hir dros
glawdd stelin.
Llwynog wedi torri goesa,
Be wna i efo fo?
Mi wn i be faswn i'n neud.
Ofynnis i ddim, rhag ofn.
'I roi o mewn can gwag fydda ora i ti.
Fel arall gwnes i,
Rhoi y can amdano fo
A chaead Moelfra Fawr yn glep ar 'i geg o.
Dos â fo i Abram.
Abram?
Ia, Abram Gallt Erw.
O?
Fo ydi trysorydd y Gymdeithas.
Pa gymdeithas?
Cymdeithas Difa Llwynogod, siŵr Dduw.

*   *   *

Mynd ddaru mi
Yn ddigalon a difeddwl braidd.
Roedd Abram yn hen law ar lwynogod.
Rhuthro i'w war o ddaru o.
Ydach chi am 'i fendio fo?

Ydw, mi rho i o o'i boen,
Dyma chdi,
Chweugian ydan ni'n roi
Am bob un o'r rhain.
A mi wthiodd Abram ddeg darn arian
I fy llaw i a'i chau hi.
Roedd chweugian yn bres da
I hogyn tair punt yr wythnos.
Ond mi roedd y gydwybod yn pigo
A finna ar y funud yn rhy ddof i ddallt pam.
Mi eis heibio stelin Edyrnion heb 'i gweld hi.
Faswn i ddim wedi codi Nant Bach, chwaith,
'Bai bod y gwas yn geg lôn.
Mi rois gic i gan dau alwyn Gappas Lwyd
A mi rowliodd cyn bellad â'r 'Hall'
Yn codi trymolo mawr wrth fynd
A finna ar 'i ôl.
Ro'n i'n colli mhwyll,
Welwn i un dim ond llwynogod cochion,
Rhai dwy goes yn rhedag ras
Am y cynta i farw.

*   *   *

Cymdeithas Ddifa Llwynogod.
Dyna ddeudodd gwddw hir dros y stelin
Damia fo, difa difa difa ydi petha dynion
Hô-Hô-Hô, a bedi petha llwynogod d'wch?
Pwy sy'n lladd ŵyn bach?
– Y gwddw hir eto byth.
Pwy sy'n cnoi nhw'n ddarna?
Ac yn gada'l nhw ar y caea'?
Yn bedwar aelod a phen dan drwyn mama?
Waeth faint stormith gwddw hir,
Mae Abram Gallt Erw yn addo mendio
Cadno'r can llaeth.
Mae o'n debyg o gadw at 'i air.
Ac eto mae petha rhyfadd yn digwydd,
Bygwth rhoi'r mab ar tân ddaru Abram y Beibil,
Ond amsar maith yn ôl oedd hwnnw.
Na, tebyg ydi bod cadno'r can
Yn prancio'r caea' erbyn hyn,
Siawns na chawn ni gwarfod eto
Os bydda i byw
Ac os caiff onta fyw
Hir oes i'r cadno.

*   *   *

Uffarn dân, mae o yn y cwt
A'm ieir i'n gyrff ar hyd y clwt.
Do, mi laddodd ddwsin crwn,
Ble mae'r gwn, y gwn, y gwn?

Cofiwch hefyd am gyfrolau eraill yn y gyfres: